Engelhorn Bücherei

Manfred Rommels gesammelte Sprüche

Gefunden
und herausgegeben von
Ulrich Frank-Planitz

Engelhorn Verlag
Stuttgart

INHALT

ÜBER MANFRED ROMMEL
UND SEINE APHORISMEN

Im Laufe der Geschichte hat es immer wieder Politiker gegeben, die selbst geschrieben haben und deren Texte in die Literatur eingegangen sind. Caesar ist im antiken Europa neben Cicero und Marc Aurel das prominenteste Beispiel für solche Doppelbegabungen, im mittelalterlichen Orient ist es der Seldschuken-Großwesir Nizāmulmulk, am Beginn der indischen Neuzeit der erste Großmogul Babur und in der Neuen Welt Benjamin Franklin. Im 19. und 20. Jahrhundert verkörpern Otto von Bismarck, Winston S. Churchill und Charles de Gaulle diese Verbindung von Staatsmann und Schriftsteller, die im deutschen Sprachraum nach dem Zweiten Weltkrieg besonders häufig in Baden-Württemberg anzutreffen ist: Theodor Heuss, Eugen Gerstenmaier, Kurt Georg Kiesinger und Richard von Weizsäcker haben sich nicht nur als Politiker, sondern ebensosehr als Redner und Autoren einen Namen gemacht.

In diese Reihe gehört auch der Schwabe Manfred Rommel, der im In- und Ausland bekannteste deutsche Kommunalpolitiker.

Daß man ihn von Peking bis New York kennt, verdankt er in erster Linie seinem Vater, dem als »Wüstenfuchs« legendär gewordenen Generalfeldmarschall Erwin Rommel. Daß sich viele Deutsche ihn auch in einem hohen Bonner Amt vorstellen können, hängt mit seinem Ruf als exzellenter Verwaltungsfachmann und Finanzpolitiker zusammen.

Seine Popularität hat freilich andere Ursachen. Sie ist einmal auf einige seiner unorthodoxen Entscheidungen zurückzuführen, von denen seine Zustimmung zum gemeinsamen Begräbnis der RAF-Terroristen Gudrun Ensslin, Andreas Baader und Jan-Carl Raspe nach deren Selbstmord in Stuttgart-Stammheim 1977 den meisten noch im Gedächtnis sein dürfte. Zum anderen beruht sie auf seinen Ansprachen, die sich wie die Reden seiner Landsleute Heuss und Weizsäkker durch intellektuelle Substanz und liberale Haltung auszeichnen. »Der Mann wäre (auch) ein guter Leitartikel-Schreiber«, hieß es über ihn in der »Stuttgarter Zeitung«. Einen »der nachdenklichsten Männer der deutschen Politik« hat ihn die »Washington

Post« genannt – ein Urteil, das offenbar die vielen Leser seiner gesammelten Vorträge und Aufsätze teilen, die 1981 (»Abschied vom Schlaraffenland«) und 1986 (»Wir verwirrten Deutschen«) erschienen sind. Sie wurden rasch Bestseller und sind die wohl erfolgreichsten Auswahlbände von Reden, die ein deutscher Politiker der Nachkriegszeit veröffentlicht hat.

»Die Zeit« hat Manfred Rommel in einer Rezension nachgesagt, er habe die Fähigkeit, »die Wahrheit manchmal mit einem einzigen Satz zu treffen«. Für seine prägnant formulierten, oft sehr witzigen Sätze gilt, was Goethe über die Aphorismen von Georg Christoph Lichtenberg schrieb: »... wo er einen Spaß macht, liegt ein Problem verborgen«. Während Lichtenberg über den Menschen als Individuum philosophierte, betrachtet ihn Rommel vor allem als soziales Wesen – ganz im Sinne La Rochfoucaulds, dessen pessimistisches Menschenbild er im Grunde teilt, aber durch eine größere Portion Humor aufhellt.

Rommel selbst scheut diesen wie jenen Vergleich und möchte seine Aphorismen lieber als »Sprüche« bezeichnet sehen. Solche Bescheidenheit ist durchaus schwäbischer Natur – mithin eine Portion Heuchelei, allerdings auch ein Stück Selbstschutz für den Fall, daß Vergleich wie Gattungsbegriff als vermessen betrachtet werden. Er befindet sich mit seiner Zurückhaltung in guter Gesellschaft, hat doch Karl Kraus seine Aphorismen unter dem Titel »Sprüche und Widersprüche« publiziert. Nach ihm deckt sich der Aphorismus »nie mit der Wahrheit; er ist entweder eine halbe Wahrheit oder anderthalb«, was sich von vielen scharfsinnigen Sprüchen Rommels ebenfalls sagen ließe. Bei Kraus heißt es auch: »Ein Aphorismus braucht nicht wahr zu sein, aber er soll die Wahrheit überflügeln. Er muß mit einem Satz über sie hinauskommen.«

Einige Rezensenten von Rommels Büchern haben kritisiert, die meisten seiner Reden und manche seiner Aufsätze seien zwar »Kabinettstücke des gesunden Menschenverstandes« (»Südwestpresse«) und ihre Lektüre bereite »großes Vergnügen« (»Neue Zürcher Zeitung«), aber die Häufung von geistreichen Pointen lasse oft ihren »eigentlichen Sinn …

vergessen« (»Frankfurter Allgemeine Zeitung«). Von einem »Peter Frankenfeld mit
Amtskette« war gar bei jenen die Rede, die
Lichtenberg nicht in der Literaturgeschichte,
sondern auf dem Berliner Stadtplan suchen.
Eben das hat dazu angeregt, in Rommels Texten die »Sprüche«, die Aphorismen, zu
suchen, die von manchen Kritikern entweder
als bloße Witze und Sottisen oder, bestenfalls,
als Sentenzen und Anekdoten verkannt worden sind.

Den Ruf, ein origineller und schlagferti-
ger Redner zu sein, muß sich Manfred Rommel mit seinen Parteifreunden Norbert Blüm
und Lothar Späth teilen; Sprüche können
auch sie klopfen. Aber als Aphoristiker ist er
in der deutschen Politik der Nachkriegszeit
eine Ausnahmeerscheinung. Selbst von den
Politikern der Weimarer Republik hat sich
nur der Rechtsphilosoph und Strafrechtler
Gustav Radbruch, Anfang der zwanziger
Jahre zweimal Reichsjustizminister, in diesem
Genre versucht; seine »Aphorismen zur
Rechtsweisheit« sind 1963 posthum erschienen. Die Neigung unserer Gegenwartslitera-
tur zum Aphorismus ist ebenfalls gering –

sieht man von Ludwig Hohl und Herbert Eisenreich ab, die sich durch eigenständige Veröffentlichungen zu dieser Form bekannt haben, die auch Theodor W. Adorno (»Minima Moralia«, 1951) beherrscht hat und die Johannes Gross, wie Rommel ein aufgeklärter Konservativer, im »F.A.Z.-Magazin« mit seinem »Notizbuch« pflegt.

Die literarische Konkurrenz für Manfred Rommel, der am 24. Dezember 1988 sechzig Jahre alt wird, ist also nicht sehr groß. Und im politischen Wettbewerb, bei dem diesem heiteren Skeptiker der brennende Ehrgeiz abgeht, kann er sich an das halten, was ihm vor zwei Jahren von der »Deutschen Welle« bescheinigt wurde: »Man glaubt ihm, was er sagt. Und damit hat Rommel in der deutschen Politikerlandschaft einen festen Platz, auf dem sich nicht allzu viele andere Kollegen drängen.«

Stuttgart, im Sommer 1988
Ulrich Frank-Planitz

DIE MENSCHEN

Der Mensch ist, wenn er wütend wird, in seiner besten Verfassung – das heißt: zu allem fähig.

Daß die Transformation beschriebenen Papiers in die Realität nicht immer gute Ergebnisse zeitigt, möchte ich anhand einer Geschichte erläutern: In einer schwäbischen Garnison ist vor langer Zeit ein alter General gestorben. Der dortige Bataillonskommandeur war ein Anhänger der schriftlichen Methode. Er hat einen Leutnant kommen lassen und gesagt: »Sie besorgen da für die Beerdigung einen Kranz, hier auf diesem Zettel habe ich Ihnen alles aufgeschrieben, was Sie zu tun und zu lassen haben; tun Sie dieses, aber nichts anderes.« Da ist der Leutnant abgeschwirrt, und am Tage der Beerdigung kamen zwei stramme Soldaten mit einem

Kranz. Auf der einen Schleife stand: »Ruhe sanft auf beiden Seiten« und auf der anderen Schleife »Auf Wiedersehen, wenn der Platz noch reicht«.

Die, die sich dumm stellen, sind gefährlicher als die, die dumm sind.

Es gibt Zeiten, in denen die Stimmung bei weitem die Leistung übertrifft.

Ein Herz, das so stark schlägt, daß der Kopf nicht mehr denkt, kann keine guten Wirkungen nach außen erzielen.

Eine unangenehme Realität verschwindet nicht dadurch, daß man sie nicht zur Kenntnis nimmt.

Es ist immer wieder erstaunlich, wie
lange Menschen, die sich völlig mißverstehen,
miteinander reden können – besonders dann,
wenn sie aufgeregt sind.

Das, was ich an Selbstachtung besitze,
beruht weithin darauf, daß ich nicht immer
mit den Wölfen geheult habe und nicht immer
mit dem Strom geschwommen bin, sondern
daß ich gelegentlich abgewichen bin vom
bequemen Weg, weil ich sonst zwar des Bei-
falls anderer, aber meiner eigenen Zustimmung nicht mehr sicher gewesen wäre.

Wer glaubt, aus dem Gemüt zu schöp-
fen, schöpft gelegentlich aus der trüben
Quelle des Vorurteils.

Das sicherste Mittel gegen Zahnschmerzen ist Zyankali; bloß sind nach dessen
Einnahme nicht nur die Zahnschmerzen
verschwunden.

Mit dem Lebensstandard wächst auch die Unzufriedenheit.

Je mehr Wünsche erfüllt werden, desto weniger Hoffnungen haben wir.

Es entspricht der menschlichen Natur, Opfer am liebsten auf Kosten anderer zu bringen.

Die Fähigkeit des modernen Menschen, unglücklich und unzufrieden zu sein, ist unbegrenzt.

Ein moderner Mensch darf sich nicht wohl fühlen, weil er sonst nicht modern ist.

Natürlich hat auch der moderne Mensch Emotionen, aber oft schämt er sich ihrer, als seien sie ein geheimes Laster.

Manche fühlen sich erst wohl, wenn sie sich schlecht fühlen.

Man kann auch schnell denken, ohne schlecht zu denken.

Wer nicht sicher weiß, was er will, sollte wenigstens prüfen, was er nicht will.

Manchem Irrtum wünscht man weite Verbreitung, ohne ihn zur Richtlinie der eigenen Lebensgestaltung zu machen.

Der Mensch kann von anderen an seiner Entfaltung gehindert werden, er kann sich aber auch selber daran hindern, sich zu entfalten.

Der Weise handelt aus Einsicht, der Kluge aufgrund fremder Erfahrungen und der Dummkopf aufgrund eigener.

Der Mensch, vor allem der junge
Mensch, braucht die Hoffnung auf Fortschritt. (Älteren Menschen genügt es, wenn
sie hoffen können, daß es nicht schlechter
wird.)

Die Menschen sind zwar alle abstrakt
kinderfreundlich, aber sie lieben die Kinder
um so mehr, je weiter sie von ihnen entfernt
sind; sie fordern das geräuscharme Flüsterkind in den Großstädten.

Der Mensch spürt die Gefahr eher, als er
sie erkennt.

Der Mensch in der industriellen Zivilisation beginnt, sein Innenleben wieder zu ent-
decken, und wundert sich, daß er oft nicht
viel Substanz vorfindet.

Das Mundwerk empfindet die Unterbrechung der Zufuhr von Gedanken als Emanzipation und wird um so emsiger tätig.

Ein Irrtum ist nur dann lehrreich, wenn er erkannt und zugegeben wird.

Vielleicht liegt einer der Hauptmängel unseres Tugendkanons darin, daß wir dazu neigen, nach Tugend nicht zu suchen, weil wir zu leichtfertig glauben, wir würden sie bereits besitzen.

Manche fühlen sich eingemauert. Aber beim Entstehen solcher Gefühle liegt eine Verwechslung zwischen außen und innen, zwischen konkav und konvex vor – ähnlich wie bei jenem Betrunkenen, der sich jammernd an einer Litfaßsäule entlangtastete und voller Schrecken ausrief: Bsoffe bin i und jetzt auch noch eing'mauert!

Wenn ich Konrad Lorenz in der Parallel-
wertung aus der Laiensphäre richtig verstanden habe, dann können die Buntbarsche und
die Brandenten in Begeisterung geraten, wenn
drei Voraussetzungen gegeben sind: Ein zu
verteidigender Wert, ein Feind, der diesen
Wert bedroht, und Kumpane. Auf der höheren Entwicklungsstufe der Graugänse hingegen ist nach der Reiz-Summen-Regel die
Feindfigur nicht mehr nötig, um Begeisterung
zu erzeugen. Es kommt also lediglich darauf
an, daß die Menschheit den Schritt von der
Entwicklungsstufe der Buntbarsche und
Brandenten zu der der Graugänse vollzieht.

Witz – es muß ja nicht unbedingt der
eigene sein – wirkt aggressionshemmend.

Selber nichts tun und dann diejenigen,
die versuchen, das Versäumte nachzuholen,
der Untätigkeit bezichtigen, das ist nicht
gerade die feine englische Art.

ÜBER PHILOSOPHIE

Die Laus, die auf dem Kopf des Philosophen herumläuft, ist zwar höher als der Philosoph, aber nicht gescheiter.

Nicht jeder Bürger kann ein Philosoph sein, und wenn jeder Bürger ein Philosoph wäre, müßte man nach den bisherigen Erfahrungen davon ausgehen, daß die Bandbreite des Irrens eher größer als kleiner wäre.

Wo die Philosophie dunkel bleibt, lassen sich die meisten Probleme philologisch lösen.

Die deutsche Philosophie hatte, im Unterschied zur angloamerikanischen, schon seit jeher das Bestreben, irgend etwas Absolutes festzuhalten, also mit menschlichem Verstand etwas dingfest zu machen, was selbst Gott nicht widerlegen könnte.

Mein Stuttgarter Landsmann Hegel soll einmal gesagt haben, als man ihn darauf hinwies, daß eine Philosophie doch mit der Realität nicht immer übereinstimme, daß dies um so schlimmer für die Realität sei.

Wer die Demoskopie allzu ernst nimmt, wird regelmäßig befürchten, daß die Fragestellung des Aufklärungsphilosophen Lichtenberg immer noch zutrifft: »Was ist besser – vom bösen Gewissen genagt zu werden oder ganz bequem am Galgen zu hängen?«

VERNUNFT UND MORAL

Realismus und Vernunft erfordern, daß man gelegentlich unangenehme Nachrichten überbringt.

Wer mit den Waffen der Vernunft in die Enge getrieben wird, der wird am besten moralisch.

Das moralische Argument verleiht demjenigen, der es vorbringt, nicht nur den Ruf, er meine es recht – und wegen eines solchen Rufes wurde schon viel Unvernünftiges entschuldigt –, es gibt ihm auch die Möglichkeit des Themawechsels.

Moral und Vernunft widersprechen sich nicht. Was sich widerspricht, sind Irrtümer.

Wo Verwirrung herrscht und gestritten wird, gibt meistens der Klügere nach. Wo aber immer der Klügere nachgibt, kann nichts Gescheites herauskommen, so daß man sich nicht wundern darf, wenn der Zuwachs der Verwirrung von einer Abnahme der Vernunft begleitet wird.

Der aufgeregte Mensch hält sich für moralisch, während dem gelassenen Menschen meist ein gewisser Zweifel an der eigenen moralischen Position innewohnt. Das bringt den gelassenen Menschen von vornherein in eine Position der Unterlegenheit. Zwar ist der gelassene Mensch klüger als der aufgeregte, aber entsprechend dem bekannten Sprichwort gibt der Klügere nach.

Der moderne Mensch hat die unheilvolle Neigung zu ideologisieren, also falsche Antworten auf vernünftige, das heißt pragmatische Fragen für moralisch verpflichtend zu erklären, und die Neigung, seine Interessen mit Moral zu verwechseln, also das für moralisch zu halten, was von seinen Interessen her vernünftig erscheint.

Wir denken nicht nach, wir regen uns auf. Wer sich aufregt, hält sich für moralisch, und wer sich für moralisch hält, der läßt sich durch Vernunft nicht korrumpieren.

Auf logische Ungereimtheiten aufmerksam gemacht, wird der moderne Mensch gerne moralisch, das heißt, ins Anschauliche übersetzt, er beginnt darüber zu klagen, daß in dieser traurigen Welt zwei mal zwei vier und nicht, wie es wünschenswert wäre, sechs ergibt.

GRUNDLAGEN
UND GRUNDSÄTZE

Prinzipien haben ist gut, Prinzipien beachten ist besser.

Grundsatzfragen sind zwar im allgemeinen Fragen auf so hohem theoretischem Niveau, daß eine praktische Verwertbarkeit der Antworten mit großer Wahrscheinlichkeit ausgeschlossen werden kann. Aber man kommt um sie nicht ganz herum, weil ihre Nichtbeantwortung die Gefahr, daß spezielle Fragen falsch beantwortet werden, vergrößert.

Es gibt kein System, das nicht durch Nichtbeachtung seiner Grundlagen unbrauchbar werden könnte.

Die Jugend gewinnen wir für die Demokratie nicht dadurch, daß wir uns zu Prinzipien bekennen, die wir in der täglichen Praxis unbeachtet lassen.

TOLERANZ

Toleranz wird gegenüber einer abwei-
chenden Meinung geübt, nicht gegenüber der
eigenen. Letzteres ist eine Unterart der Heuchelei. Der um Toleranz bemühte Mensch hat
es nicht leicht. Er gerät bei den Gesinnungs-
genossen in Verdacht, daß er im geheimen die
Meinung der Andersdenkenden teilt, während die Andersdenkenden oft genug glauben,
um wahre Toleranz würde es sich eigentlich
erst handeln, wenn ihre Auffassung nicht nur
respektiert, sondern auch für richtig erklärt
wird. Wer aber letzteres tut, ist kein toleran-
ter Mensch, sondern ein politischer Konvertit.

Toleranz läßt sich nicht nur gegenüber
Toleranten üben – genausowenig wie Wahr-
heitsliebe nicht nur gegenüber jenen geübt
werden darf, die die Wahrheit schätzen.

Toleranz wird oft mit Meinungslosigkeit verwechselt. Aber nicht der Meinungslose ist tolerant, sondern der, der eine Meinung hat, aber es anderen zubilligt, eine abweichende Meinung zu haben und diese auch zu sagen.

Wir vermissen Toleranz eher bei anderen, als daß wir sie selber üben.

Natürlich gibt es für die Toleranz Grenzen. Zum Selbstmord ist niemand verpflichtet.

ORDNUNG UND CHAOS

Der Sinn für Ordnung ist eine Tugend, die heute im allgemeinen bekämpft und im besonderen vermißt wird.

Die Summe der Einzelinteressen ergibt nicht Gemeinwohl, sondern Chaos.

Es gibt Bereiche, so die Moral, so die Kunst, die nur mit Logik zu erfassen, zu definieren und zu ordnen ebenso unmöglich ist, wie es unmöglich ist, mit einer Schere ins Wasser ein Loch zu schneiden.

THEORIE
UND PRAXIS

Die Praxis ist immer phantasievoller als die Theorie.

Wir brauchen keine Theorie, die die Nase rümpft, wenn sie der Praxis begegnet.

Der Theoretiker ist meist radikal. Im Bestreben, falsches Verhalten zu verhindern, gelingt es ihm fast immer, das Verhalten überhaupt zu verhindern.

Anderen etwas Unbequemes zu empfehlen ist immer wesentlich leichter, als es selber zu tun. Deshalb ist unsere Welt zwar reich an guten Ratschlägen, aber wesentlich ärmer an denen, die sie befolgen.

Zu den schönsten menschlichen Tätigkeiten gehört, anderen sagen zu dürfen, was richtig ist, ohne dies selbst tun zu müssen.

MEINUNGEN

Ich versuche vor allem das deutlich zu machen, was ich nicht will, weil die Aussonderung des Falschen beim Auffinden des Richtigen hilfreich ist.

Ich vertrete die Meinung, die ich am meisten schätze, nämlich meine eigene, ohne zu verlangen, daß andere diese teilen, und ohne zu garantieren, daß ich an ihr festhalte, wenn bessere Argumente vorgebracht werden.

Jeder hat das Recht auf seine eigene Meinung, aber er hat keinen Anspruch darauf, daß andere sie teilen.

Man kann alles vertreten, man muß nur vermeiden, konkret zu werden.

Der Mensch hält besonders gerne Meinungen für richtig, zu denen er ohne besondere geistige Anstrengungen gekommen ist.

Es gibt erfolgreiche und erfolglose Meinungen. Erfolglose Meinungen sind meist diejenigen, die durch Befragung des Gewissens und der Vernunft zustande kommen. Erfolgreiche Meinungen hingegen sind jene, die man sich durch Betrachten des Fernsehens, durch Lesen der Journale und durch Übernahme der dort vorgefundenen Ansichten erwerben kann.

Entgegen einem weitverbreiteten Vorurteil soll die Darstellung des Negativen meist nicht zum Negativen führen, sondern zum Positiven ermutigen. Kein Mensch wird annehmen, Goethes Faust sei eine Aufforderung, Jungfrauen zu schwängern, sie mit ihrem Kinde sitzenzulassen und die Seele dem Teufel zu verschreiben.

Wo das Positive gar nicht erwähnt werden darf, hat es Schwierigkeiten zu entstehen.

Zwar liegt es in der menschlichen Natur, die weniger nach Erkenntnis als nach Bestätigung von Vorurteilen strebt, daß der Kritiker mehr stört als der Lobredner. Aber der Kritiker kann mehr nützen. Der Lobredner sagt das, was man bereits glaubt oder gern glauben möchte; ihn anzuhören ist also – vernünftig gesehen – Zeitverschwendung, freilich eine angenehme.

Der menschliche Verstand und die menschliche Phantasie funktionieren wesentlich besser, wenn sie sich mit dem Negativen statt mit dem Guten befassen.

Einer Gesellschaft, die man damit unterhalten kann, daß zwei Menschen einen Ball hin und her schlagen, ist alles zuzutrauen.

VOM REDEN

Wer sich klar ausdrückt, riskiert nicht nur, als ungebildet zu gelten, sondern auch noch kritisiert zu werden, während die unklare Rede sich dadurch vor Kritik schützt, daß die potentiellen Kritiker nicht recht wissen, was eigentlich gemeint war.

Die Zuhörer freuen sich immer, wenn ihnen etwas mitgeteilt wird, was sie bereits wissen.

Jeder Mensch hält den, der das sagt, was er selber denkt, für intelligent.

Man schäme sich nicht, das gleiche immer wieder zu sagen, denn auch Theaterstücke werden immer wieder aufgeführt.

Rhetorik ist die Kunst, Unverständliches so feierlich vortragen zu können, daß jeder einzelne Zuhörer meint, der Nachbar verstehe alles, bloß er selber sei zu dumm, und damit dies die anderen nicht merken, tue er am besten so, als habe auch er alles verstanden.

Bekanntlich gibt es bei uns verschiedene Stufen von Reden. Die unterste Stufe ist dann erreicht, wenn der Redner sich selber versteht und die Zuhörer ihn, die gehobene Stufe dann, wenn der Redner sich versteht, aber die Zuhörer ihn nicht, die höhere, wenn der Redner sich selber nicht versteht und die Zuhörer ihn auch nicht verstehen, und die höchste, wenn der Redner zwar sich selber nicht versteht, aber die Zuhörer glauben, ihn verstanden zu haben. Ich gebe mich mit der untersten Stufe zufrieden.

Am schwierigsten bei einer Rede ist der Schluß. Manche versprechen immer wieder, daß sie zum Schluß kommen, halten ihr Versprechen aber nicht. Dies ist nur bis zur drit-

ten Wiederholung reizvoll. Die einfachste
Form des Schlusses besteht darin, einfach auf-
zuhören.

Reden halten und Reden anhören ist ein
wichtiges Mittel zur Vernichtung von Zeit,
insbesondere von Arbeitszeit. Die Maschinen
übernehmen immer mehr Arbeit, nachgeord-
nete Mitarbeiter sind in wachsender Zahl
bemüht, den Vorgesetzten von schädlichen
Einwirkungen auf die Behörde oder Firma
abzuhalten. Deshalb nehmen die Veranstal-
tungen zu, bei denen geredet wird. Sie sind
gesünder als die, bei denen gegessen wird,
denn Reden anhören macht nicht dick.

PROGNOSEN

Prognosen sind Wahrscheinlichkeits-
urteile über die Zukunft und keine Garan-
tieerklärungen, daß eine bestimmte Entwick-
lung mit Sicherheit eintreten wird.

Das Vertrauen in die Nichterfüllung von
Prognosen ist eine verhältnismäßig verläß-
liche Grundlage für politische Entscheidungen.

Ein Mann, der an Verstopfung leidet
(wie unsere Straßen), sucht zur Behebung die-
ses Übels einen Apotheker auf. Der Apothe-
ker rührt etwas zusammen und fragt dabei:
»Wo wohnet Sie?« Der Mann: »In der
Ameisebergstroß.« »Hausnummer? Welcher
Stock?« Der Mann nennt Nummer und
Stockwerk, worauf ihm der Apotheker das

zusammengerührte Mittel reicht und sagt:
»So, trinket Se des aus, und dann gehet Se glei
hoim.« Am nächsten Tag kommt der Mann
und sagt: »Des Mittel war wonderbar. Bloß
der Weg ab der Glastür, den hend Se net mit
eigrechnet.« Es wäre schon viel gewonnen,
wenn unsere Prognosen wenigstens diesen
Genauigkeitsgrad erreichten.

ÜBER DIE ZUKUNFT

Kein Zugriff in die Zukunft ist möglich
auf der Basis des Sicheren.

Wenn man nicht sicher weiß, was die Zukunft bringt, ist dies kein Grund, das zu tun, was sicher falsch ist.

Pessimismus wird gerne zu einer sich selbst verwirklichenden Prophezeiung, denn wer nicht an eine gute Zukunft glaubt, der hat keine.

VON DER GESCHICHTE

Im Lärm der Gegenwart hat die Stimme der Geschichte es nicht leicht, sich Gehör zu verschaffen.

Leider wurde oft genug in der Geschichte der Nächste, den es zu lieben gilt, mit dem Bösen verwechselt, der bekämpft werden darf.

Nostalgie ist die Fähigkeit, darüber zu trauern, daß es nicht mehr so ist, wie es früher nicht gewesen ist.

Lehren aus der Vergangenheit zu ziehen, erfordert, an die Möglichkeit des Fortschritts in der Geschichte zu glauben.

Die Geschichte wird in weit stärkerem Maße, als wir dies annehmen, von dem Bedürfnis der Historiker geprägt, in eine Sache, die widersinnig erscheint, nachträglich einen gewissen Sinn hineinzulegen.

Es ist gewiß eine Schwäche der Geschichte, daß sie immer nur von den Überlebenden geschrieben wird.

Die deutsche Geschichte dieses Jahrhunderts ist zu ernst, um als Theaterfundus herzuhalten, mit dessen Hilfe vordergründige politische Absichten kostümiert werden.

DIE NS-ZEIT

Die Vergangenheit zu bewältigen, heißt zu versuchen, nach den Werten zu leben, die in der nationalsozialistischen Zeit so schmählich mißachtet wurden.

Hitler übernahm keine Macht. Die Ohnmacht machte ihn möglich.

Hitler kannte die Menschen, und er handelte mit der Sicherheit des Amoralisten.

Es ist heute, im Besitze des Wissens von den Untaten des Dritten Reiches, leicht, über die, die von Hitler verführt, getäuscht oder eingeschüchtert wurden, die blindgeschlagen waren von seiner Propaganda, den Stab zu brechen. Die Jüngeren sollten sich vor Augen

halten, daß die, die damals lebten, die glei-
chen Menschen waren wie die, die heute leben
– nicht besser und nicht schlechter. Aber die
Zeitumstände waren anders, und die Menschheit hatte eine schreckliche Erfahrung noch
nicht gemacht.

Der Nachweis der Ursächlichkeit ist
noch kein Nachweis der Schuld, und man
sollte als Nachgeborener mit Schuldzuwei-
sungen vorsichtig sein. Vor allem müßte die
nachkommende Generation sich davor hüten,
aus der großen Fülle der Ursachen, die sich, je
weiter wir in der Geschichte zurückgehen,
mehr und mehr im Grauschleier der großen
Zahlen verlieren, diejenigen auszusuchen, die
heute in eine ideologische Schablone passen,
und sie allein für maßgeblich zu erklären.

Der Irrtum der Nachgeborenen liegt
eben oft darin, daß sie glauben, das, was sie
nachher erfahren haben, hätten ihre Eltern
schon vorher wissen können.

Mich beschleicht seit der Kriegszeit
immer dann, wenn ich irgendwo hinterher-
laufe, der Zweifel, ob der, der vorne läuft,
auch wirklich weiß, wohin es geht.

POLITIK UND POLITIKER

Wir werden unsere Schwierigkeiten nur meistern, wenn wir Adam Riese einen guten Platz in der praktischen Politik einräumen.

Die vier Grundrechenarten lassen sich durch die Politik nicht aufheben.

Die Bekanntgabe von Zahlen ist das wichtigste Mittel heutiger Selbstdarstellung.

Einen schweren Gegenstand bewegen zu müssen, das trifft nicht unbedingt die Situation des modernen Politikers: Der wälzt nicht den Stein, sondern er redet über ihn, wodurch er wesentlich häufiger in der Zeitung steht.

Der Standpunkt »Ein Mann, ein Wort«
ist in Zweckmäßigkeitsfragen der Politik fehl
am Platze.

Ein konkreter Irrtum ist besser als ein
abstrakter, weil letzterer nicht nur einen Fall
berührt, sondern sämtliche denkbaren Fälle.

Die eigentliche Bewährung der Politik
findet im Spannungsverhältnis zwischen
Wunsch und Wirklichkeit statt.

Es gilt als modern, das Unmögliche zu
wollen – eine Einstellung, die einer realisti-
schen Politik große Schwierigkeiten bereitet.

Der moderne Politiker sucht eher den
Applaus als den Erfolg.

Erfolgreiche Politiker machen nicht immer eine erfolgreiche Politik. Eine erfolgreiche Politik setzt voraus, daß der Politiker nicht nur gefallen, sondern etwas durchsetzen will. Das wiederum setzt voraus, daß er selber weiß, was.

Die Politik ist zu einer Kunst geworden, die es versteht, den Bürgern auf unauffällige Weise ihr Geld abzunehmen und es nach Abzug steigender Verwaltungskosten in einem Zeremoniell so zu verteilen, daß jeder sich noch für beschenkt hält.

Unsere Zeit krankt an der irrationalen Furcht vor der Tat und an dem ebenso irrationalen Mut zur Unterlassung. Es wird immer schwerer, etwas zu tun, und immer leichter, etwas zu verhindern.

Wir brauchen eine Politik, die durchaus Werten verpflichtet ist, die aber auch aufgebaut ist auf dem soliden Fundament der praktischen Vernunft – einem Fundament aus korrosionsfreiem Stahl und nicht aus einem leichten Schaumstoff, den der Wind der Mode jeweils dorthin bläst, wo er ihn haben will.

Odysseus ist der erste bedeutende Politiker, den die Weltliteratur nennt, und man zieht ihn deshalb gelegentlich zu Recht als Beispiel heran, wenngleich man sich heute weniger an seiner List als an seiner Fähigkeit, Irrfahrten zurückzulegen, orientiert.

Die Kunst der Politik besteht häufig darin, heiße Eisen mit fremden Fingern anzufassen.

Die Politik gewinnt nicht dadurch an Glaubwürdigkeit, daß sie das, was sie als falsch erkennt, konsequent weiter tut.

Erfolgreiche Politik setzt den Mut voraus, langweilig zu sein.

Ich habe leider schon wiederholt feststellen müssen, daß der Unterschied zwischen einer Warnung, einer Drohung und einer Aufforderung im politischen Leben nicht jedermann geläufig ist. Wenn ich mit jemandem spazierengehe und zu ihm sage, dort liegt Dreck, tritt nicht hinein, dann drohe ich nicht mit dem Dreck; ich fordere ihn auch nicht auf hineinzutreten, sondern ich warne ihn.

Ein gewisses Zufallsergebnis bei Ordensverleihungen ist unvermeidlich und in Kauf zu nehmen: Wie Granaten schlagen die Orden im Hinterland ein und treffen oft die Falschen.

Bedenken sind immer mehrheitsfähig.

Jedesmal wenn gesagt wird: »Hier muß politisch entschieden werden«, ist höchste Aufmerksamkeit geboten, damit nicht falsch entschieden wird.

Die romanischen Völker sind wesentlich weniger romantisch als wir: Sie verschwenden ihre Romantik im Mandolinenspielen, aber wir verschwenden sie in der Politik.

Wenn wir das unterlassen, was falsch ist, dann haben wir schon eine ganz gute Politik gemacht!

Man muß die Fahne dort wehen lassen, wo der Sieg winkt.

Wenn man nicht weiß, was richtig ist, soll man nicht tun, was falsch ist!

Es gibt auch in der Politik ein gewisses Aussteigertum. Es ist schlecht, wenn jemand aus der Verantwortung aussteigt, aber im Amt bleibt.

Die Angst vor unpopulären Maßnahmen sollte nicht größer sein als der Wille, vernünftig zu handeln.

Einigen, die vom hohen Rosse her auf uns herunterschauen, sollten wir gelegentlich sagen: Wir sind nicht hier, weil du da oben sitzest, sondern du sitzest da oben, weil wir hier sind.

Daß der Zweck die Mittel heiligt, ist eine Ansicht, die moralisch verwerflich ist. Aber es ist genauso unmoralisch, wenn das Mittel das Ergebnis heiligen soll.

Es ist sehr wichtig zu erkennen, daß ein Qualitätssprung nicht zwangsläufig nach oben gerichtet sein muß, er kann auch nach unten erfolgen. Dies ist beispielsweise der Fall, wenn Macht so lange geteilt wird, bis sie sich in Ohnmacht verwandelt.

Zur politischen Verantwortung gehört auch ein Stück Macht. Nur dann, wenn er sie hat, ist es gerechtfertigt, daß der Politiker für den Erfolg haftet – eine Haftung, die sich dadurch realisiert, daß er die nächste Wahl verlieren kann.

Ich spreche nicht gerne von einer Daueraufgabe; denn wenn Politiker von einer Daueraufgabe sprechen, meinen sie oft eine Aufgabe, die auf die Dauer nicht erfüllt wird.

Die politischen Diskussionen der letzten zwanzig Jahre erlagen immer wieder der Versuchung – für die wir Deutsche besonders anfällig sind –, Zusammenhänge zwischen den verschiedenen politischen Aufgabenbereichen einfach unberücksichtigt zu lassen. Dadurch wird das Weltbild zwar einfacher, aber auch falsch. Und wenn das Weltbild falsch ist, dann nützen die besten Ideen nichts, die in und aus ihm entwickelt werden, weil sie die wirklichen Verhältnisse nicht verbessern können.

Nichts zu verstehen, hat einen Politiker noch nie davon abgehalten, etwas zu sagen.

Über das Ziel, den Frieden zu erhalten, sind sich alle Völker und Menschen einig – mit Ausnahme einiger Verrückter, die leider nicht immer bei den Psychiatern, sondern manchmal auch durch Aufnahme einer politischen Tätigkeit Heilung suchen.

GESELLSCHAFT
UND REVOLUTION

Der Begriff der Gesellschaft hat heute ähnliche Funktionen wie früher jener der überstaatlichen Mächte oder der Freimaurer.

Revolutionen haben alle eines gemeinsam: Sie waren ursprünglich verboten.

Revolutionen haben meistens die Wirkung der Desorganisation. Und die Desorganisation hat die Wirkung, daß es den Menschen so schlecht geht, daß sie außerordentlich froh sind, wenn es ihnen wieder halb so gut geht, wie es ihnen vor der Revolution gegangen ist.

Das Gerede von der Menschlichkeit
hat so lange keinen Sinn, als es lediglich dazu
benutzt wird, um gegen die Mathematik
Revolution zu machen.

In unserer gutmütig gewordenen Gesellschaft finden Waffen nur dann Akzeptanz,
wenn sie gegen uns gerichtet sind.

ÜBER DIE DEMOKRATIE

Die Demokratie mißtraut den Regierenden, aber sie vertraut dem Bürger.

Ich habe mitunter den Eindruck, daß manche der Demokratie die Ohrfeigen versetzen, die eine Diktatur verdienen würde, die sie aber in einer Diktatur sich nicht trauen würden, ihr zu verabreichen.

Ich trete überall, wo das notwendig ist, der Meinung entgegen, der Umstand, daß die Diktatur zu allem fähig war, berechtige dazu, den demokratischen Staat zu allem unfähig zu machen.

Die Meinung ist weit verbreitet, man sei, da die Diktatur zu allem fähig gewesen ist, verpflichtet, die Demokratie zu allem unfähig zu machen, und eigentlich sei die Demokratie erst dann verwirklicht, wenn jeder machen könne, was er wolle, dabei aber die Zahlungen aus öffentlichen Kassen pünktlichst erfolgen.

Wer die Begeisterung als die wichtigste Ursache und Produzentin der Tugend ansieht, muß die Chancen der Demokratie skeptisch betrachten.

Zur Demokratie gehört, daß man nicht jeden Interessenhaufen zum Volk erklärt.

Das Grundgesetz kann eine aufregende Lektüre sein. Es ist wesentlich weniger ängstlich und wesentlich großzügiger als manche, die es schützen wollen.

Vertrauen kommt von trauen. Und da trauen sich manche schon allerhand. Ich möchte im übrigen in keinem Land mehr leben, in dem sich die Menschen nicht trauen zu demonstrieren, zu protestieren, auch etwas zu randalieren. Sie trauen sich, weil sie darauf vertrauen, daß der Staat sich an die Gesetze hält.

Wer in der Politik zu ängstlich ist, etwas zu tun, was notwendig wäre, sagt am besten, es fehle an der Akzeptanz. Das klingt so demokratisch.

PARTEIEN

Auch die Union kann keine Geister
beschwören.

Wir sind brave Parteifreunde, viele von
uns gehören zur alten Garde, die auch schon
unter Napoleon zwar gebrummt hat, aber
brav mitmarschiert ist. Wir gehen mit, aber
manchmal würden wir schon gerne wissen,
ob es nach Austerlitz geht oder nach Water-
loo.

Die Versuchung der Konservativen ist
die Furcht vor Veränderungen – obwohl der,
der bewahren will, den Mut braucht zu verän-
dern. Die Heimsuchung der Progressiven ist
die Mode, die es ja nicht nur bei der Kleidung
gibt.

PLANUNG UND ZUFALL

Wir brauchen eine bescheidene Planung, die vor der Wirklichkeit und vor neuen Gedanken den Hut zieht und die nicht gruß- los an den Realitäten und an der Vernunft vorübermarschiert.

Es ist in einer weithin vom Zufall gesteu- erten Welt fast unvermeidlich, daß gelegent- lich auch Gutes geschieht.

Gegner der Planung sind Freunde des Zufalls.

Wer alles lenken will, steuert gar nichts.

Der Zufall ist ein sehr unzuverlässiger Verbündeter.

Es gibt keine Kalkulation, die sich nicht verkalkuliert, es sei denn, sie beruht auf Zufall!

Unsere Zeit fördert das Herstellen von Plänen, verhindert aber die Ausführung. Sie bekämpft die Experten, ruft aber dauernd nach ihnen. Sie überläßt gerne das Feld wortreicher Untätigkeit; wenn Vernunft stört, wird von Menschlichkeit geredet, und wenn Menschlichkeit gefragt ist, von Vernunft.

MENSCH UND UMWELT

Umweltschutz kann nicht der Vorrang der Natur vor dem Menschen sein.

Je weniger Menschen es gibt, desto mehr Natur ist vorhanden und umgekehrt.

Die Menschen sind in der guten alten Zeit kaum vor lauter Glück mit dreißig gestorben, während sie heute in den westlichen Industrieländern aus Verärgerung im Durchschnitt über siebzig werden.

Verbal lassen sich leicht Naturwissenschaften, Technik und Industrie als Fehler bezeichnen und als künftige Aufgabe die Wiederherstellung natürlicher Verhältnisse, also die Abschaffung von Veränderungen, die der

Mensch in der Natur vorgenommen hat. Nur
sollte man sich über die Konsequenzen im
klaren sein. Sie bestehen darin, daß die meisten Menschen vorzeitig sterben müssen,
damit sich der Rest der Menschen mehr
schlecht als recht mit Hilfe der alten naturge-
mäßen Produktionsmethoden am Leben halten kann. Aber wenn der Tod auf natürliche
Weise eintritt, also durch Erfrieren, Verhun-
gern und Verzicht auf Konsum von Arzneien
auf chemischer Basis, dann kann man selbst-
verständlich von einer Ideologie her, die
der Natur den Vorrang vor dem Menschen
einräumt und den Menschen als einen Teil
der Natur nicht anerkennt, nichts dagegen
einwenden!

Wohin würden die Menschen ihre Pla-
kette »Kernkraft, nein danke« kleben, wenn
sie kein Auto hätten? Auf den Schuhsohlen
wäre sie nicht so wirksam!

Ich gehöre nicht zu denjenigen, die
aus lauter Angst vor dem Tod Selbstmord
begehen.

Ich betrachte Bürgerinitiativen, wie ich
ein Nudelholz betrachte: Wenn das Nudelholz zur Herstellung von Teigwaren verwendet wird, dann schätze ich es positiv ein;
wenn es aber als Waffe verwendet wird, ist
meine Einschätzung negativ.

Die Umwelt wird nicht um so mehr
geschützt, je mehr Beamte sich mit ihrem
Schutz beschäftigen.

BEAMTE UND JURISTEN

Nach dem Zweiten Weltkrieg hatten die Staatsmänner wenige Beamte, aber viele große Ideen; heute haben sie viele Beamte…

Zwei Dinge sind in der Verwaltung zu lernen – erstens: Lerne zu unterschreiben, ohne zu lesen; zweitens: Lerne zu reden, ohne zu denken!

Wir haben es auch in der Verwaltung mit einer Unmenge Spezialisten zu tun. Diese wissen bekanntlich von immer weniger immer mehr, bis sie von nichts alles wissen, während die Generalisten von immer mehr immer weniger wissen, bis sie von allem nichts wissen. Zwei verschiedene Wege, die zum selben Ergebnis führen.

Es ist gut, wenn ein Mensch, der die Enge des Verwaltens gewohnt ist, gelegentlich die Weite des Himmels erblickt.

Es gibt keine untätige Verwaltung, und eine Verwaltung, die nicht weiß, was sie tun soll, der fällt etwas ein – im Zweifel nichts Gutes –, aber jedenfalls nie, sich selbst abzuschaffen oder auch nur zu schrumpfen.

Die Verwaltung hat die besondere Begabung, sich dort hinzustellen, wo man Ohrfeigen kriegt.

Da läuft nichts, aber wenigstens das Verfahren!

Ich habe den Eindruck, daß wir zu sehr den Vorschriften und den Gerichten vertrauen und zu wenig den Menschen.

Das perfektionistische Bestreben, falsches Verhalten zu verhindern, führt dazu, daß man sich überhaupt nicht mehr verhalten kann.

Wir neigen dazu, nach dem Schema zu verfahren: Die Akten dürfen unter der Voraussetzung vernichtet werden, daß vorher Abschriften hergestellt werden.

Wenn Bürgernähe heißt, man dürfe nur das tun, wozu jeder schriftlich sein Einverständnis erklärt hat, dann führt Bürgernähe zu einem wahren Advokatenparadies.

Es gibt keine Frage mehr bei uns in der Bundesrepublik, die man nicht zu einer Rechtsfrage zu machen in der Lage wäre. Deshalb ist nichts leichter, als gegen eine Tätigkeit, die ein anderer ausüben möchte, juristische Bedenken zu erheben.

Wir Juristen sind nun einmal dazu erzogen, das, was uns nach intensivem Sinnieren über Worte einfällt, für objektive Wahrheiten zu halten, insbesondere wenn wir länger ein Amt einer höheren Besoldungsgruppe innegehabt haben.

Ausgezeichnete Juristen zeichnen sich besonders dadurch aus, daß sie glauben, was sie meinen, sei auch rechtens.

Wohl kaum ein Bürger wird von einem Glücksgefühl durchdrungen, wenn er in der Bundesbahn fährt oder vor einem Postschalter steht und sich dabei überlegt, daß er zu den 60 Millionen Miteigentümern gehört.

Meine Beobachtungen haben mich dahin belehrt, daß der Respekt vor einer Hundertschaft Polizei oft geringer ist als vor einem Polizeihund, weil feststeht, daß dieser das Grundgesetz nicht gelesen hat.

INTELLEKTUELLE
UND AKADEMIKER

Die Diktatur verfolgt, die Demokratie duldet ihre Intellektuellen.

Ich halte den Intellektuellen für nützlich, wenngleich für lästig, aber es gibt auch eine nützliche Lästigkeit.

Es gibt heute, gerade auch bei vielen Intellektuellen, eine Art Naturmystik, die besagt, man müsse nur auf die Natur lauschen und schon komme alles in die rechte Ordnung. In Wirklichkeit ist das wichtigste Naturgesetz das Gesetz des Stärkeren.

Manchmal habe ich den Eindruck, daß, um einen besonders großen Unsinn zu machen, unbedingt eine akademische Ausbildung dazugehört.

Um richtig dumm daherreden zu können, muß einer schon akademisch gebildet sein.

DIE MEDIEN

`

Journalisten möchten nicht über das Brot schreiben, sondern schon über den Teig, wenn er gerade in den Ofen geschoben worden ist.

Die Zahl der Nachrichten wächst, und die Fähigkeit, sie zu einem Ganzen zu verarbeiten, nimmt ab.

Unangenehme Nachrichten, die stimmen, sind immer noch wertvoller als angenehme Nachrichten, die nicht zutreffen.

Die Medien freuen sich, wenn sie etwas Neues berichten können, wobei als Neuigkeit auch gilt, wenn ein neuer Mann etwas schon längst Bekanntes sagt.

Das Fernsehen hat das Leben verändert – tiefgreifender noch als das Auto, denn die meisten Menschen sitzen länger vor dem Fernsehapparat, als sie Auto fahren.

Das Prangerstehen war schon früher üblich, freilich dauerte es im allgemeinen nur wenige Stunden und geschah vor allem auch vor einer verhältnismäßig kleinen Öffentlichkeit. In der modernen Zeit ist das anders. Da dauert das Prangerstehen monatelang und geschieht vor der gesamten Nation. Eine etwa zu erwartende Strafe ist im Vergleich hierzu völlig unbedeutend. Die Person ist gerichtet, bevor das Gericht tätig wird.

SPRACHE
UND LITERATUR

In der Literatur gelingt fast durchweg die Beschreibung der Sünde, des Lasters und der Hölle wesentlich besser als die der Tugend, des Wohlverhaltens und des Himmels.

Es gibt Gedichte, die gar keinen Reim haben, in die dafür viel Sinn hineingepackt ist. Man merkt den meisten dieser Gedichte an, daß sie im Zustand völliger Nüchternheit, sozusagen bei Mineralwasser und Spalttabletten, abgefaßt worden sind.

Es gibt Darstellungen, die so tief sind, daß sie dem Leser dunkel erscheinen. Aber nicht alles was dunkel ist, ist tief.

Der französische Stil wurde vom Bemühen um Klarheit geprägt, der deutsche vom Bemühen, unbeanstandet durch die Zensur zu kommen.

Die Weimarer Demokratie ist nicht wegen, sondern trotz ihrer Literatur untergegangen.

THEATER

Als Stellvertreter des Verwaltungsrats-
vorsitzenden der Württembergischen Staats-
theater widerspreche ich schon aus finanziel-
len Gründen der Ansicht, je leerer das Theater
sei, desto anspruchsvoller die Kunst. Der
Zweck des Theaters ist schon das Publikum.
Freilich soll das Theater sich trotz der
Erkenntnisse der Verhaltensforschung nicht
nur nach dem Publikumsgeschmack richten.
Diesen Geschmack hat das Publikum ja
bereits; er braucht ihm nicht vom Theater
vermittelt zu werden.

Manche fühlen sich nur wohl, wenn
sie sich nicht wohl fühlen. Sie haben eine ähnliche Einstellung wie viele Besucher des
modernen Theaters.

Die Grenzen des politischen Theaters
bestimmt die Feuerschutzpolizei.

KUNST UND ARCHITEKTUR

Es herrscht vielfach die Meinung, Kunst sei das, was man bezahlt, wenn man Geld übrig hat.

Ich halte nicht viel von Versuchen, den Begriff der Kunst abschließend definieren zu wollen – es sei denn für Zwecke des Finanzamts. Dort kommen wir nicht umhin, dies zu tun, damit die Kunst steuerlich begünstigt werden kann.

Wo alles Kunst ist, ist Kunst nichts mehr.

Die Meinung ist noch weit verbreitet, wahre Kunst müsse konkret, positiv, bestätigend, schön sein und ein Wunschbild wiedergeben, während die heutige Kunst oft abstrakt, negativ, verunsichernd sein will und die Wirklichkeit auch dann wiedergeben möchte, wenn sie häßlich ist. Aber Vorurteile werden befestigt, wenn derjenige, der sie hat, den Eindruck gewinnt, er werde von denen, die sie nicht zu haben glauben, so behandelt, als sei er der Kunst für immer verlorengegangen.

Wer im Bereich der Kunst aus Angst vor Mißbrauch die Freiheit lieber eingeschränkt sehen würde, handelt wie ein Mann, der aus Angst vor dem Tod Selbstmord begeht.

In totalitären Staaten muß die Kunst die Politik loben. Dort ist schon eine kleine, dezente Andeutung einer Kritik ein revolutionärer Akt. In der Demokratie darf sie auf gar keinen Fall loben, wenn sie ihren Ruf nicht verlieren will.

Ich glaube nicht, daß die Politiker im Interesse der Kunstfreiheit nach dem Grundsatz zu handeln haben: schweige und leide.

Wenn die Kunst das ausschließliche Züchtigungsrecht den Feuilletonisten überträgt und nur mit dem redet, der ihr Rotwelsch beherrscht, braucht sie sich nicht zu wundern, wenn sie in die gesellschaftliche Isolierung gerät und ihr entscheidende Impulse entzogen werden.

Kunst ist kein Beruhigungsmittel.

Nicht jeder, der eine Badewanne hat und sie nicht benützt, ist deshalb ein Beuys.

Je höher der Anteil der Sklaven und Ausgebeuteten in einer Gesellschaft, desto größer sind die Steine, die zum Städtebau verwendet werden. Deshalb ist das feine Zementpulver, das zur Betonherstellung dient, ein dem fortgeschrittenen demokratischen und sozialen Rechtsstaat angemessenes Baumaterial.

Gewachsener gesellschaftlicher Zusammenhang läßt sich nicht von Städteplanern und Architekten auf dem Reißbrett erzeugen.

DENKMALPFLEGE

Gewiß ist manches Monstrum errichtet worden – aber wenig ist so monströs, daß es davor sicher wäre, schließlich zum Kulturdenkmal erklärt zu werden.

In Stuttgart ist beinahe alles, was in der Gründerzeit entstanden ist, inzwischen ein Denkmal. Damals wurde der Schwabe von dem Bedürfnis ergriffen, mindestens zur Straßenseite hin als Grieche, Römer und Assyrer aufzutreten – ein Bedürfnis, dem er dadurch Rechnung getragen hat, daß er sich aus Katalogen Steinfassaden heraussuchte. Das Bestreben, von vorne schöner zu sein als von hinten, ist menschlich verständlich und allgemein verbreitet. Daß man das nun alles zum Denkmal und zum Optimum der Baukunst erklärt und der heutigen Architektur die Fähigkeit, überhaupt etwas Rechtes zu gestalten, abspricht,

ist Unsinn. Meistens werden diese Denkmale
ohnehin viel lieber von außen angesehen als
von innen bewohnt.

Die größten Erfolge hat der Denkmal-
schutz auf geistigem Gebiet erzielt. Es ist uns
gelungen, den Geist des Mittelalters in einem
Umfang zu konservieren, daß jeder Freund
alter Dinge seine helle Freude daran haben
muß. Die Konservierung ist weniger in den
Bereichen der Moral und des Gottesglaubens
gelungen, um so besser aber in den Bereichen
der Vorurteile und der Vernunftfeindschaft.

VOM GELD

Sparen heißt, Geld, das man hat, nicht auszugeben. Bei uns geht es aber darum, Geld, das wir nicht haben, nicht auszugeben, und das nennt man Realismus. Ich darf dies vielleicht in der Sprache der Mengenlehre erläutern: Wenn aus einer Kasse, in der 100 Mark sind, 300 Mark entnommen werden, dann muß man erst wieder 200 Mark in die Kasse hineintun, damit nichts in ihr ist.

Im modernen Drange, alles zu zerlegen und auseinanderzunehmen, auch wenn man es nicht mehr zusammensetzen kann, wird selbst der Zusammenhang zwischen Einnahmen und Ausgaben geleugnet.

Es ist nützlich, wenn über Geld gestritten wird, zunächst festzustellen, ob es sich um anwesendes oder abwesendes Geld handelt.

Öffentliche Gelder haben zur Zeit eine hervorstechende Eigenschaft – sie fehlen meistens.

Man hat ja immer schon Hochrechnungen gemacht, um mathematisch richtig zu falschen Ergebnissen zu kommen.

Finanzpolitik ist letztlich nichts anderes als die Anwendung der zehn Gebote, kombiniert mit den Grundrechenarten.

Früher waren die Löcher nur in der Brezel, heute sind sie auch im Landeshaushalt.

Die Bereitstellung von Mitteln, die im Haushalt nicht vorgesehen sind, ist eine Sünde gegen die Prinzipien, und sie beweist nicht, daß noch mehr Unvorhergesehenes finanziert werden kann, sondern sie bedarf der Buße an anderer Stelle.

Es ist in der Politik schon oft versucht worden, nicht vorhandenes Geld auszugeben.

Wie arm wäre unsere Politik, wenn derjenige, der höhere Ausgaben für edle und gute Zwecke fordert, auch noch gezwungen würde nachzuweisen, woher denn die Einnahmen kommen sollen, um diese Ausgaben zu finanzieren, oder wenn derjenige, der im Interesse der Bürger Steuersenkungen verheißt, aufgefordert würde nachzuweisen, welche Ausgaben gekürzt werden müssen, um die Steuersenkungen zu finanzieren.

Das Wunschdenken hat nicht nur die Köpfe verwirrt, sondern auch in unseren Budgets tiefe Spuren hinterlassen.

Keynes wird immer dann ausgegraben, wenn es darum geht, Schulden zu machen, und er wird dann sofort vergessen, wenn es möglich wäre, Rücklagen anzusammeln.

Häufig gilt in der politischen Praxis eine Maßnahme für um so sozialer, je höher das Defizit ist, welches sie verursacht.

WIRTSCHAFT
UND VERKEHR

Es ist gerade heute wichtig zu begreifen, daß die Summe möglichen Glückes der Menschen nicht eine Funktion des Bruttosozialprodukts in den Preisen von 1970 ist.

Das Wort Wettbewerb ist eine Art von Zauberformel, die freilich, wie dies Zauberformeln im allgemeinen tun, meist nicht hält, was sie verspricht.

Die Kritik am Wachstum tritt sehr häufig in trauter Harmonie mit Forderungen auf, die nur durch Wachstum erfüllt werden können.

Natürlich sagt niemand, der Vernunft hat: Wenn die Wirtschaft läuft, ist alles in Ordnung. Es ist mit ihr so wie mit der Gesundheit: Sie ist nicht alles, aber ohne sie ist alles nichts.

Wenn die öffentliche Hand Arbeitsplätze bereitstellt, kostet dies Steuergeld. Wenn die Wirtschaft Arbeitsplätze schafft, bringt dies Steuergeld.

Gewiß fordert die künftige Berufswelt immer stärkere Spezialisierung. Aber sie verlangt von dem Spezialisten auch, daß er die Fähigkeit bewahrt, das Ganze zu sehen und seine Spezialität in das Ganze einzuordnen.

Es wurde gerade noch rechtzeitig erkannt, daß die Einteilung der verschiedenen Arbeitsvorgänge in Kopfarbeit und Handarbeit eine ziemlich abenteuerliche und lebensfremde Bemühung ist. Es wurde zum Glück bemerkt, daß es keine Handarbeit ohne Kopfarbeit gibt.

Es gibt viele Menschen, die das Handwerk hoch schätzen, aber nicht als Nachbarn, so wie sie auch Kinderspielplätze fordern, aber bitte nicht in unmittelbarer Nähe der eigenen Wohnung.

Das geräuschlose Handwerk gibt es ebensowenig wie das lärmarme Flüsterkind.

Der Bürger, der einen Wasserschaden hat, der sein Dach renovieren will, der ein neues Schloß für seine Wohnungstür benötigt oder der seine Wohnung modernisieren möchte, dem ist nicht mit dem warmen Händedruck eines Verwaltungsangehörigen gedient, sondern nur mit einem Handwerksbetrieb, der möglichst in der Nähe seinen Standort hat und der damit ohne allzu hohe Wegekosten kurzfristig seine Dienste anzubieten in der Lage ist.

Gelegentlich geben sich solche Politiker, die sich mit besonderem Nachdruck für höhere Aufwendungen auf den Gebieten der Sozialpolitik und des Umweltschutzes einsetzen, auch besondere Mühe, der Wirtschaft das Leben möglichst schwerzumachen und damit das Steueraufkommen zu vermindern.

Eine gewerbefreundliche Haltung ist entgegen einem weitverbreiteten Vorurteil kein sündhafter Verstoß gegen sozialpolitische Tugenden. Im Gegenteil, sozialpolitischer Fortschritt läßt sich nur mit dem Mittel wirtschaftlicher Vernunft verwirklichen, wie im übrigen auch wirtschaftliche Vernunft soziale Verantwortung voraussetzt.

Ich habe den Eindruck, viele Autofahrer merken erst im Himmel, daß sie nicht schnell hätten fahren sollen!

Einmal soll ein Vertreter eines großen Reiseunternehmens in die Küche eines Vertragshotels vorgedrungen sein und gefordert haben: »Ich möchte aus diesem Topf kosten.« Man gewährte ihm die Bitte. Er meinte: »Pfui Teufel, das schmeckt ja wie Spülwasser.« Die Antwort des Kochs: »Ist es auch.«

Seit der ersten Reise aus dem Paradies in die Welt sucht der Mensch im Rahmen der Touristik den umgekehrten Weg, nämlich den ins Paradies. Auch hier zeigt sich der Fortschritt.

WISSENSCHAFT
UND TECHNIK

Wissenschaft soll nicht Dienerin des vordergründig Nützlichen sein; aber eine Sache darf nicht als um so wissenschaftlicher gelten, je weniger sie Nutzen bringt.

Wissenschaftlich sprechen heißt mitunter, in schwer verständlicher Weise am Thema vorbeireden.

Wie die meisten Feindschaften ist auch die Technikfeindschaft darauf zurückzuführen, daß die Emotionen stärker sind als die Vernunft. Die Emotion, die hier in Rede steht, ist die Furcht.

Es ist wahr, daß die moderne Pädagogik und auch die Elektronik die Möglichkeiten zu rechnen verbessert haben, aber die Verbesserung geht Hand in Hand mit dem Zuwachs der Unlust, die Ergebnisse anzuwenden.

In unserer zwiespältigen Zivilisation schadet es dem Ruf eines Bildungsbürgers nicht, im Gegenteil, es verbessert seinen Ruf, wenn er von instrumentalen Wissensgebieten wie Naturwissenschaften, Technik und Ökonomie nichts weiß, aber sie mit jenen dunklen Formulierungen ablehnt, die hierzulande irrtümlich als Symptome höherer Geistigkeit gelten.

Die Prostitution ist eine der Errungenschaften, die nicht durch Technik substituiert werden können.

DIE DEUTSCHEN

Die schädliche Neigung, Deutschland für größer zu halten, als es tatsächlich ist, gibt es auch heute noch.

Wir Deutschen erträumen uns gern etwas, was es nicht geben kann, aber wir sind nicht damit zufrieden und stellen plötzlich fest, daß die Wirklichkeit anders aussieht. Wir nehmen dies der Wirklichkeit übel, geraten in Zorn über die Wirklichkeit und tun etwas, was die Wirklichkeit wesentlich schlechter macht.

Das Mißtrauen und die Sehnsucht nach Einmütigkeit, also nach Übereinstimmung aller anderen mit der eigenen Meinung, auch dann, wenn eine solche gar nicht vorhanden, ist eine deutsche Krankheit, freilich eine heilbare.

Da wir Deutschen, wenn wir etwas tun, für Konsequenz und Perfektionismus berüchtigt sind, neigen wir auch im Fehlerhaften zu einer besonderen Hartnäckigkeit.

In unserem Volk gibt es ein Gefühl, daß eine Sache, die nicht gesetzlich geregelt ist, nicht funktionieren kann.

Eine große Rolle spielt die verhängnisvolle Neigung von uns Deutschen anzunehmen, daß Gedanken um so gescheiter sein müssen, je unverständlicher sie formuliert worden sind.

Wir Deutschen lieben nun mal die Verwirrung, ja, wir halten sie für einen philosophischen Zustand.

Wir Deutschen waren nach dem Krieg ziemlich verwirrt, ein nicht außergewöhnlicher nationaler Geisteszustand.

Die Weitsicht Konrad Adenauers hat uns Deutsche davon abgehalten, wieder einmal einen Platz zwischen sämtlichen Stühlen mit einer günstigen Position in der Mitte zu verwechseln.

Es wird nie wieder so sein, daß in einer größeren deutschen Stadt nur Deutsche leben.

DIE SCHWABEN

Der Weingenuß gehört neben der Freude an geistlicher Musik zu den wenigen sinnlichen Vergnügungen, die der schwäbische Protestant sich genehmigen darf.

Die schwäbische Maultasche ist eine sehr praktische Speise. Sie quillt im Magen so auf, daß für anderes nur wenig Platz bleibt. Diese Eigenschaft teilt die Maultasche mit so manchen politischen Programmen. Auch diese können – im Kopf – so aufquellen, daß für anderes kein Raum mehr ist, so daß das Eindringen anderer Gedanken ausgeschlossen werden kann.

Der Schwabe wurde immer geleitet und gelenkt von dem in der Tiefe seines Gemüts wurzelnden Prinzip: Es gibt nichts Besseres als etwas Gutes.

Der Schwabe neigt zum Understatement, aber zu einem besonderen Understatement – er hofft nämlich, daß es nicht ernst genommen wird.

Der Schwabe tut so, als ob er arm sei; aber er ist beleidigt, wenn andere ihm das glauben!

Als mein Vater in das Infanterieregiment 124 in Weingarten eintrat, sagte einer seiner Vorgesetzten: »Kerle, wenn Ihr am Sonntag in die Kirche gehet, net bloß nahocka, vor Euch hinglotza, sondern Fuß rollen und Entfernung schätzen.«

Der Schwabe denkt immer: was groß ist, ist unnötig.

»Auch wieder« ist das philosophischste Wort in Schwaben, weil es dazu dient, die größten Widersprüche in einen Zusammenhang zu bringen. Auf dieser Fähigkeit beruht im wesentlichen der Rang der schwäbischen Philosophen, nicht auf dem präzisen, aber meistens falschen »entweder – oder«.

Provinz ist keine Landschaft, sondern ein Zustand.

AUS DEM
STUTTGARTER RATHAUS

Also: bei einer so umfangreichen Tages-
ordnung fange mir glei am beschta mit Punkt
1 a!

Herr Stadtrat Walz, ich teile Ihre Auffassung in vollem Umfang – nur liegt hier vielleicht ein Irrtum vor!

Herr Kussmaul, Sie können keinen An-
trag stellen, der lautet: »Ich habe Bedenken
– aber Du, Verwaltung, sage mir, warum!«

Ich kann von hier aus, das heißt vom
Platz des Vorsitzenden aus gesehen, sehr gut
beurteilen, daß sich die Schlafenden auf alle
Fraktionen gleichmäßig verteilen!

Ich halte es für völlig richtig, daß wir das jetzt tun, aber bei dieser Sachlage sollten wir es nicht machen.

Ich muß auch etwas sagen – 's wird m'r gleich nachher einfallen!

I' glaub net, daß des en Fehler war, schon deshalb, weil i au dafür war!

Man braucht Gelassenheit. Ich habe mich zu dem Grundsatz entschlossen: Ich bin nicht beleidigungsfähig.

In der Kommunalpolitik ist es ja so, daß wenige, die reden, lauter sind als diejenigen, die schweigen.

Wenn wir auf alles verzichten müßten, was abgelehnt wird, dann müßten wir auf vieles verzichten.

Je mehr Geld daß mir ausgebet, desto leichter fällt uns der Nachweis, daß kein's mehr da ischt im nexschten Jahr!

Jetzt rechnen wir so, wie die staatliche Hochbauverwaltung immer gerechnet hat: nämlich falsch!

Des hab' i au g'lernt: Wenn das Grundstück kleiner isch als das geplante Gebäude, entstehet erhebliche Schwierigkeiten.

Also: bevor mir's Baue a'fanget, müsset mir wissa, was mir bauet!

Herr Bruckmann ist sicher ein besserer Architekt als ich, was sich schon daraus ergibt, daß ich keiner bin.

Zu den topographischen Schwierigkeiten ist zu sagen, daß wir leider Stuttgart durch Gemeinderatsbeschluß nicht in eine ebene Stadt verwandeln können.

Die Pyramide hen genauso ausg'seha, wie i se von de Bilder her scho kennt hab'!

Das Beste am Fasching ist der Aschermittwoch!

EDITORISCHE NOTIZ

Diese Auswahl stützt sich vor allem auf die beiden Bände »Abschied vom Schlaraffenland, Gedanken über Politik und Kultur« und »Wir verwirrten Deutschen, Betrachtungen am Rande der Politik«. Manfred Rommel hat sie der Deutschen Verlags-Anstalt (DVA) in Stuttgart anvertraut, der für die freundliche Genehmigung zum Abdruck der ausgewählten Texte zu danken ist.

Während der Auswahl der »Sprüche« aus »Abschied vom Schlaraffenland« die erste, 1981 erschienene Auflage zugrunde lag, wurden die Stellen aus dem Buch »Wir verwirrten Deutschen« der dritten Auflage entnommen. Diese dritte Auflage – 1987, ein Jahr nach der ersten, erschienen – ist um einen Beitrag über Konrad Adenauer erweitert worden.

Als gute »Fundstelle« hat sich auch ein Band erwiesen, der 1984 zum 100. Geburtstag der Städtischen Sparkasse Stuttgart von der Landesgirokasse herausgegeben wurde. Diese »Sentenzen aus dem Stuttgarter Rathaus« sind von Rolf Thieringer »gehört und notiert« worden und unter dem Titel »Guter Rat ist heiter« erschienen. Sowohl Rolf Thieringer, dem Ersten Bürgermeister der Stadt Stuttgart, als auch Walther Zügel, dem Vorstandsvorsitzenden der Landesgirokasse, danken wir dafür, daß wir auch aus diesem Band Texte auswählen konnten.

Schließlich standen für die Auswahl zahlreiche Reden, Vorträge und Aufsätze zur Verfügung, die bisher entweder nur im »Amtsblatt der Stadt Stuttgart«, in Anthologien oder überhaupt noch nicht in Buchform erschienen sind. Wir danken dem Autor und seinen Mitarbeitern dafür, daß sie uns auf diese Beiträge aufmerksam gemacht haben, die nur schwer zugänglich sind.

Unser Dank gilt auch Friederike Groß, die uns ihre Karikaturen aus der »Stuttgarter Zeitung« zur Illustration des Schutzumschlages und der Innenseiten zur Verfügung gestellt hat. Und dankbar sei die Hilfe erwähnt, die uns durch Klaus Dieterle, dem Leiter des Presseamtes der Stadt Stuttgart, bei dieser Auswahl zuteil geworden ist.

Um die Lektüre, aber vor allem um die Suche nach einzelnen Aphorismen zu erleichtern, sind sie bestimmten Themen zugeordnet worden. Diese Zuordnung ist weder mit dem Autor abgestimmt noch in manchen Fällen zwingend – ebenso wie die Reihenfolge der Aphorismen in den einzelnen Themenbereichen. Auf den Nachweis, aus welchen Texten sie stammen, wurde im Interesse besserer Lesbarkeit verzichtet, zumal diese Ausgabe keinen Anspruch auf Wissenschaftlichkeit erhebt.   *UFP*

Zeichnungen: Friederike Groß

CIP-Titelaufnahme der Deutschen Bibliothek

Rommel, Manfred:
[Gesammelte Sprüche]
Manfred Rommels gesammelte Sprüche
gefunden u. hrsg.
von Ulrich Frank-Planitz.
Stuttgart: Engelhorn Verlag, 1988
(Engelhorn-Bücherei)
ISBN 3-87203-050-7

© 1988 Engelhorn Verlag, Stuttgart
Lektorat: Renate Jostmann
Typographische Gestaltung: Brigitte Müller
Satz: Setzerei Lihs, Ludwigsburg
Druck und Bindearbeiten:
Clausen & Bosse, Leck
Printed in Germany

Engelhorn Bücherei

Carl Brinitzer
**Kleine Geschichten
über schöne Frauen**
144 Seiten mit 21 Abbildungen

**Kleine Geschichten
für Katzenfreunde**
Gesammelt und herausgegeben von
Hilde Hollen
144 Seiten mit 44 Abbildungen

**Kleine Geschichten
aus der Frühlingszeit**
Gesammelt und herausgegeben von
Federico Hindermann
144 Seiten mit 24 Abbildungen

**Kleine Geschichten
aus dem Weihnachtsland**
Das silberne Erzgebirge und
seine Festbräuche
Gesammelt und herausgegeben von
Ulrich Frank-Planitz
112 Seiten mit 50 Abbildungen

Engelhorns 🎺 Sammlerbibliothek

Immanuel Kant
Zum ewigen Frieden
Ein philosophischer Entwurf
Nachdruck der 1795 im Verlag
von Friedrich Nicolovius in Königsberg/
Ostpreußen erschienenen Ausgabe
105 Seiten

Friedrich Schiller
Der lachende Tragiker
Nachdruck der 1862 unter dem Titel
»Avanturen des neuen Telemachs oder
Leben und Exsertionen Koerners« bei der
Englischen Kunst-Anstalt von A. H. Payne
in Leipzig erschienenen Ausgabe
48 Seiten
mit 13 vierfarbigen Federzeichnungen

Thomas Mann
Bekenntnisse des Hochstaplers Felix Krull
Buch der Kindheit
mit Illustrationen von Oskar Laske
Reprint der 1922
im Rikola Verlag erschienenen Ausgabe
65 Seiten mit 6 Farbtafeln